七不思議神社

幽霊の待つ学校

作 緑川聖司
絵 TAKA

あかね書房

「準備はいいかな？」

校長先生は朝礼台に立つと、ニコニコしながらみんなを見まわして、ピストルを持った右手を、青空に向かって高々とあげた。

校庭に集まった全校児童が、その手に注目する。

「それじゃあ、いくよ。用意……スタート！」

パァンッ！

号ほうとともに、ぼくたちははじかれたように走りだした。

ピストルの先からは、白いけむりがたなびいている。

三月の暖かな日ざしの中、七節小学校の広い校庭に、赤白帽を白にした一年生から五年生が、いっせいに散らばっていった。

帽子を赤にした六年生だけが、朝礼台の前で足を止めて、ゆっくりと十まで数えている。

卒業前のこうれい行事、六年生対在校生の、全校鬼ごっこだ。

まずは六年生が鬼になって、一年生から五年生を追いかける。そして、つかまったら帽子をぬいで、その場にすわるというルールだった。

「……きゅーう、じゅうっ！」

数えおわると同時に、二人の六年生が、左右からはさみこんできた。

どうやら、ぼくたち五年生から先につかまえていく作戦のようだ。

あっという間に校庭のはしに追いつめられたぼくは、すばやくフェイントをかけてにげようとしたけど、フェンスのそばに立つ大きな桜の木の根っこにつまずいて、転びそうになった。

すかさず、鬼の手がのびる。

背中にトン、とタッチをされたぼくは、

「あーあ」

と帽子をぬぎながら、その場にこしをおろした。

そこはちょうど校庭全体が見わたせる場所で、砂ぼこりの中、ほかにも帽子をぬいで体育ずわりをしている児童が、あちこちに見られる。

さすが六年生。早くも半分近くがつかまったようだ。

卒業式まで、あと十日。

去年の夏休みに転校してきたぼくにとって、七節小学校ではじめて経験するお別れだった。

楽しそうな歓声や悲鳴を聞いているうちに、なんだかさびしくなってきて、ぼくは真上を向いた。

枝についた桜のつぼみが、ずいぶんとふくらんでいる。

卒業式のころには満開になってるかな、と思っていると、

「リクもつかまったの？」

帽子を手にした同級生のソラが、かたで息をしながら、
となりにドサッとこしをおろした。

「あー、つかれた」

「おつかれさま」

ぼくは笑って、それからまた桜を見あげた。

「りっぱな桜だね」

「そうでしょ」

ソラは自分のことをほめられたかのように、うれしそうにうなずいた。

「昔は春休みにはいってからさきはじめてたらしいんだけど、だんだん時期が早くなって、ここ何年かは卒業式をお祝いするみたいに満開になることが多いんだって」

「へーえ」

ぼくは木の幹に手をあてた。

ソラも転校生だけど、引っこしてきたのは三年前なので、この町のことは、ぼくよりもよく知っているのだ。

校庭に目をもどすと、三年生以上はほとんどつかまってしまい、六年生がスピードをゆるめながら、白帽をかぶった低学年を追いかけている。

桜の幹にもたれながら、そんな光景をながめていると、

「ねえ、知ってる？　この桜が満開になると、幽霊が出るっていううわさがある

のよ」
ソラは笑みをうかべて話しだした。

春を待つ幽霊

七節小学校ができたときから、ずっと同じ場所にあるこの桜には、満開になると木の下に女の人の幽霊があらわれる、といううわさがあった。
幽霊が出るのは暗くなってからなので、子どもたちは桜の季節が近づくと、夕方以降は学校の前を通らないように気をつけていた。
ところが、ある年のこと。
ひとりの男の子が、

「幽霊なんて、いるわけないだろ」

といって、友だちが止めるのも聞かずに、塾の帰りにわざわざ回り道をして学校へと向かった。

春休みにはいっても、夜はまだはだ寒い。買ってもらったばかりの水色のパーカーを着て、フードを後ろにたらしたまま、人かげのない夜道を自転車で走る。

やがて、前方に学校が近づいてきたので、男の子はペダルをこぐ足をゆるめて、目をこらした。

校庭のはしにある桜の木の下に、ぼんやりと白いかげがうかんでいるのが、フェンスごしに見える。

男の子は思わず自転車を止めた。

それは、白い服を着た女の人だったのだ。

こんな時間に校庭にはいれるわけがないし、なにより、舞いちる花びらが、女の人の体をすーっと通りぬけている。

男の子が、背すじが冷たくなるのを感じていると、

「ねえ……」

女の人はゆらりと手招きをしながら呼びかけてきた。

「こっちにこない？」

男の子は声にならない悲鳴をあげると、ぐっとペダルをふみこんで、その場をはなれた。

「ねえ、こっちに……」

背後から、か細い声が聞こえてくるのをふりきって、男の子は前だけを見つめながら、さらにスピードをアップした。

「ねえ……」

それでも、声はどこまでも追いかけてくる。

ようやく家にたどりついた男の子が、自分の部屋のベッドでふるえていると、

「ねえ……」

耳元で、あの声がした。

布団をはねのけて見まわすけど、部屋の中にはだれもいない。

それでも声は、とぎれとぎれに聞こえてくる。

自分の部屋にもどったことで、少し落ちついてきた男の子は、息を整えて耳をすませた。

どうやら声は、背中のフードから聞こえてくるようだ。

パーカーをぬぐと、フードの中に桜の花びらが一枚はいっていた。

男の子は花びらをつまむと、窓の外に出して、パッと指をはなした。

花びらは「ねえぇぇ……」と、かすかな声を残しながら夜風にふかれて消えていった。


しばらくたってから、男の子が塾の帰りに学校の前を通ると、桜の花は散り、幽霊のすがたもなかったということだ。

「だから、その女の人は幽霊じゃなくて、桜の精かもしれない、なんていわれているの」

「へーえ」

ソラの話を聞きおえて、ぼくはふと、

（七節小学校には〈学校の七不思議〉ってあるのかな……）

と、思った。

ぼくがその疑問を口にすると、

「そういえば、学校の怪談って、あんまり聞いたことがないかも」

ソラはおどろいたように、ちょっと目を見開いた。

七節小があるここ七節町には、昔から〈町の七不思議〉というものが伝わっている。

それだけに、ソラにとっても、小学校に七不思議がないのが意外だったのだろう。

パンッ！　パンッ！

そのとき、号ほうが二発、続けて鳴った。

一回戦が終わった合図だ。

今度はぼくたちが赤帽をかぶって、六年生を追いかける番だった。

「リク、いこう」

「うん」

ぼくとソラはいきおいよく立ちあがって、帽子をひっくりかえすと、朝礼台に向かって走りだした。

鬼ごっこが終わって、五年一組の教室にもどると、ぼくはシンちゃんに、学校の七不思議を知らないかと聞いてみた。

シンちゃんはちょっと考えたあと、

「いや、知らんなあ……」

と首をひねって、近くの席であせをふいていたタクミに声をかけた。

「タクミは知ってるか？」

「七不思議？」

一回戦では最後までにげまわり、二回戦では六年生を一番たくさんつかまえていたタクミは、

「さあ……うちの学校には、ないんとちゃうかな」

帽子で自分をあおぎながら、首をふって答えた。

シンちゃんとタクミはこの町の出身で、生まれたときからずっと七節町で暮らしている。

その二人が知らないのなら、本当にないのかもしれない。

「でも、学校の怪談がひとつもないわけじゃないんでしょ？」

ぼくの後ろから、ソラがひょいっと顔を出して、二人に聞いた。

「そうやな」

シンちゃんは水とうのお茶をひと口飲むと、

「七不思議かどうかはわからんけど、こんな話やったら聞いたことあるぞ」

そう前おきをしてから、話しはじめた。

階段の怪談

「弘人。知ってる？」

金曜日の昼休み。

今朝まで降っていた雨のせいで使えなくなった校庭を、弘人が四年一組の教室の窓から見おろしていると、瑠奈が後ろから話しかけてきた。

「北校舎のはしにある階段って、金曜日の夜になると、のぼりとくだりで数が変わるらしいで」

「それ、ほんまか？」

弘人は窓に背を向けると、疑わしそうな顔で聞きかえした。

「ほんまやって。お姉ちゃんがゆってたもん」

瑠奈は口をとがらせた。

瑠奈の姉の話によると、金曜日の夜、北校舎の一階と二階をつなぐ階段を数えたら、のぼりとくだりで段数がちがっているというのだ。

「けど、なんでそんなことが起こるねん」

「わたしが聞いたんは、キツネが化かすっていう話やけど……」

「へーえ」

この町に、いたずら好きのキツネがいるという話なら、たしかに聞いたことがある。

「おもしろそうやな」

「そやろ」

瑠奈はニッと笑った。

「今日の放課後、いっしょにたしかめにいかへん？」

瑠奈の提案に、弘人はすぐにうなずいた。


その日の夕方。

約束の時間が近づくと、弘人は「学校にわすれ物を取りにいく」という口実で、家を出た。

本当は夜の方がよかったのだが、さすがにこわいので、夕方のおそい時間にたしかめにいくことにしたのだ。

弘人がうすやみにつつまれた学校に到着すると、瑠奈は校門の前で待っていた。

インターホンで職員室に連絡をして、遠隔操作で通用門のかぎを開けてもらう。

校内にはいった二人は、まっすぐに北校舎へと向かった。

校舎の中は、まるで夜のように暗く、シンと静まりかえっている。

階段の前にくると、弘人はさすがにきんちょうしてきた。

階段の数が変わるなんて、あるわけないとは思うけど、もしかしたら……。

「ほら、いくで」

瑠奈の声に、ハッと顔をあげる。

そして、目を合わせると、「せーの」で足を同時にふみだした。

いーち、にーい、さーん……

職員室からきょりはあるけど、あまり大声を出すと聞こえてしまうため、小声で数える。

しーち、はーち、きゅーう……

九歩目でおどり場に到着したので、くるりと半回転して、ふたりはふたたびのぼりだした。

じゅーう、じゅーいち……

「……じゅうはち！」

二階までは、十八段だ。

今度はおりながら、しんちょうに数えていく。

いーち、にーい、さーん……

九歩目でおどり場に着いた。

ということは、残りは……。


じゅーう、じゅーいち……


「……じゅうきゅう！　あれ？」

のぼりは十八段だったのに、くだりはなぜか十九段になっていた。

「な？　ほんまやったやろ？」

瑠奈がくちびるのはしをあげて、にいっと笑う。

「いまのは数えまちがいや。もう一回！」

弘人はもう一度、今度はひとりで階段をのぼりはじめた。

「いーち、にーい、さーん……」

おどり場で方向転換して、二階までのぼりきる。

「じゅうはち！　やっぱりのぼりは十八段や」

いままで意識したことはなかったけど、昼間に階段を通るときも、九段がふたつの十八段だった気がする。

「よし、それじゃあ、おりるぞ！」

一階の瑠奈に呼びかけてから、一歩一歩ふみしめながらおりはじめる。

おどり場までは九段。しかし、おどり場からは……。

「じゅうはち、じゅうきゅう、にじゅう……にじゅう？」

なぜかくだりは、さっきよりも多い二十段になっていた。

「おかしいな……いち、にい、さん……」

いままでよりもはやいペースでまた階段をのぼる。二階まではやはり十八段だ。

ところが、おりてみると……。

「なんでや！」

弘人は思わずさけんだ。

今度はさらに増えて、二十三段になっていたのだ。

「そんなわけないやろ！　絶対数えまちがいや。見とけよ。いち、に、さん……」

むきになって、かけ足で階段をのぼりおりするが、そのたびにくだりの段数が増えていく。

そして、何往復もしているうちに、ついにはくだりの階段が終わらなくなってしまった。

「はちじゅうご、はちじゅうろく……はあ……はあ……この階段、いったいどこまで続くんや」

「おい、竹田！」

とつぜん名前を呼ばれて、弘人はその場で飛びあがった。

「おまえ、どうしたんだ！」

そこに立っていたのは、担任の近藤先生だった。

「あ、先生。おかしいんです。この階段、おりてもおりても終わらなくて……」

「なにをいってるんだ？　おりてるじゃないか」

「え？」

足元を見ると、弘人はいつのまにか階段をおりきって、二階のろうかに立っていた。

「助かった……」

弘人はその場にすわりこんだ。

その様子を見て、近藤先生はいっそう不思議そうな顔をしていった。

「いったい、なにがあったんだ？」

先生によると、帰る前の見まわりをしていたら、北校舎の方から人の声と足音が聞こえてくる。

だれかいるのかと思ってのぞいてみると、弘人が階段を五段ほどのぼっては、すぐにおりて、またのぼって、またおりて……と、いったりきたりをくりかえしていたというのだ。

「そんな……あれ？　あいつは？」

弘人はさっきまでいっしょにいた女の子をさがした。

「あいつ？　だれのことだ？　はじめからおまえしかいなかったぞ」

「いたんですよ」

元はといえば、あいつが階段の話をもちかけてきたのだ。

「それって、うちのクラスか？　名前は？」

先生の問いに、弘人は答えようとしてがくぜんとした。

顔も名前も頭にうかんでこない。

ぽかんと口をあけて言葉を失う弘人を見て、近藤先生はニヤリと笑っていった。

「おまえ、キツネに化かされたな」

「あとで聞いたら、その弘人っていう子は前の日に七節神社でサッカーをしていて、境内のはしにまつってあったお稲荷さんに、ボールをぶつけたんやって」
シンちゃんの話を聞いて、それはキツネもおこるよなあ、と思っていると、

「おれも、こんな話やったら知ってるで」

今度はタクミが語りだした。

本を読む少女

七節小の図書室の一番おくには、本を読む少女のしょうぞう画がかざられている。
その絵には、本のページが毎日一枚ずつめくられているとか、読みおわったら少女が絵からぬけだして、新しい本を借りにくるとか、いろんなうわさがあった。
ある日の放課後。
図書委員で貸出当番の琴音は、利用者がだれもいないのをいいことに、カウンターの中でのんびりと読書を楽しんでいた。

いま読んでいるのは、海外の古いファンタジー小説だ。

全体の半分ほど読みすすんだところで、琴音は、

「あれ？」

とつぶやいて、ページをめくる手を止めた。

片方のページに、物語の舞台となっている国の地図がえがかれているのだが、その地図の形に見覚えがあったのだ。

「もしかして……」

琴音は本を手にカウンターを出ると、図書室のおくにある絵の前に立った。

自分が開いたページと見くらべて、

「やっぱり」

と、うなずく。

その地図は、絵の中の少女が開いている本の地図と、まったく同じだったのだ。

よく見ると、地図だけではなく、本の大きさや全体の色合いもそっくりだ。

少女が読んでいるのは、じっさいには存在しない架空の本だと思っていた琴音は、おどろいて、それからうれしくなった。

琴音はひそかに、この美しい少女にあこがれていた。

そして、いま同じ本を読んでいたことがわかって、まるで気持ちが通じあったように感じたのだ。

「あなたも、その本が好きなのね」

琴音は絵の表面に、そっと手をふれた。

琴音がカウンターにもどって、本の続きを読んでいると、人の気配がした。

顔をあげると、目の前に知らない女の子が立っている。

いや、知らないと思ったのはいっしゅんだけで、琴音は彼女のことをよく知っていた。

「あなたは……」

それは、絵の中の少女だったのだ。

「あなたも、その本が好きなのね」

少女は琴音の手元を見ながら、さっきの琴音と同じことをいった。

「えっと……好きっていうか……」

思いがけないできごとにかたまっていると、

「わたしも大好きなの。ねえ、お友だちになりましょう」

少女はそういって、琴音の手をつかんだ。

そのあまりの冷たさに、反射的に手を引っこめようとしたが、少女の力は強くてびくともしない。

そのまま引きずられるように、琴音は絵の前まで連れてこられた。

「さあ、いきましょう」

「いやっ！」

琴音は持っていた本を少女に向かって投げつけた。

そして、少女がひるんだすきに、図書室からにげだした。

その後、職員室に飛びこんだ琴音は、

「本を読む少女が、絵からぬけだして、おそってきたんです」

といって、先生といっしょに図書室へ引きかえしたが、少女は元通り絵の中におさまっていて、琴音が読んでいた本はどこにも見あたらなかった。

「夢でも見たんじゃない？」

先生にそういわれて、自分でも自信がなくなってきた琴音は、絵をじっと見つめているうちに、あることに気づいてゾッとした。

少女が読んでいるページに地図がない。

ページが変わっていたのだ。

「そんな……」

琴音がさらによく見ようと顔を近づけたとき、下校十五分前のチャイムが鳴った。

「さあ、帰りましょう」

先生のあとについて、絵の前をはなれた琴音がふりかえると、絵の中の少女が琴音を見て、小さく手をふっていた。

「その女の子が読んでた本は、いまでも図書室のどこかにあるらしいで」

タクミはそんな風に話をしめくくると、ぼくを見て、

「リクが前におった学校には、七不思議はなかったんか？」

といった。

「ぼくが聞いたことあるのは、こんな話なんだけど……」

ぼくはきおくをさぐりながら口を開いた。

月夜の白いかげ

職員室でテストの採点をしていたK先生は、赤ペンを机にほうりだして、大きくのびをすると、時計を見て、

「お、もうこんな時間か」

とつぶやいた。

いつの間にか、夜の十一時をとっくに過ぎている。残っているのは、K先生だけだ。

「そろそろ帰るか」

机の上を片づけて、職員室を出ようとしたとき、体育館の方から、かすかに物音が聞こえたような気がした。

もちろん、こんな時間にだれもいるはずがない。

K先生は、かぎと懐中電灯を手に、体育館へと向かった。

近づくにつれて、ボールのはねる音がはっきりと聞こえてくる。

ポーン、ポーン……

(もしかして、だれかが勝手にしのびこんで、遊んでいるのかも……。それにしても、夜の体育館で、いったいなにをしているのだろう)

K先生はきんちょうしながら、両開きになっている引き戸をゆっくりと開けた。

月明かりのさしこむ体育館の真ん中で、明るいオレンジ色のバスケットボールが、大きくバウンドしている。

ポーン、ポーン、トッ、トッ、トトトト……

ボールはしだいにいきおいをうしなうと、足元に転がってきた。
（ゴールにひっかかっていたボールが、なにかのひょうしに落ちてきたのかな）
自分をそう納得させながら、こしをかがめて拾おうとしたとき、

ピタッ

ボールはK先生の手前でとつぜん止まって、反対方向に転がりだした。そして、まるでだれかがドリブルをしているみたいに、ひとりでにバウンドをはじめた。

同時にいくつもの白いかげが、月の光にぼんやりとうかびあがる。ちょうど小学生くらいの大きさのかげたちは、バスケの試合をするように、激しく動きまわった。

K先生があっけにとられてその光景をながめていると、白いかげのうちのひとつが、ゴールに向かってシュートした。

ザシュッ！

ボールがゴールにすいこまれて、ネットをゆらす。

気がつくと、白いかげは消え、体育館はシンと静まりかえっていた。

K先生は足元に転がるボールを、そっと拾いあげた。

ボールはひんやりと冷たかった。

「その白いかげたちは、満月の夜になると、体育館でバスケやバレーをしたり、校庭で鬼ごっこをして遊んでるんだって」

ぼくが話しおえると、

「白いかげの正体は、なんだったの？」

ソラが聞いてきた。

「さあ……」

ぼくは首をかしげた。

「学校の近くで亡くなった子どもの霊じゃないか、っていううわさもあったけど、よくわからないんだ」

前の学校では、ほかにも「真夜中、だれもいないはずの教室から、たて笛の音が聞こえる」とか「帰りのチャイムが鳴りおわるしゅんかん、六年生の教室の前を全速力でかけぬけると、七年一組の教室があらわれる」という怪談が伝えられていたが、どれもくわしい内容は知らなかった。

「なあ」

タクミがなにかを思いついたように、ぼくたちを見まわした。

「おれたちで、七節小の七不思議をつくってみいへんか?」

「つくるって、どうやって?」

シンちゃんが聞きかえす。

「みんなで集めてまわるねん。もし八つ以上になったら、その中から七つを選びだしたらええやん」

「おもしろそう」

ソラが飛びはねながらいった。

「その七不思議って、わたしたちが卒業してからも、この学校で語りつがれることになるんでしょ？　それって、すっごい記念になるじゃない」

ソラの言葉を聞いて、そうか来年は卒業なんだな、といまさらながらに気がついた。

まだ一年も先の話だけど、なんだか急にさびしく思えてくる。

卒業までに、もっとたくさんの思い出をつくりたいな――そんなことを考えながら、ぼくはどうやって怪談を集めるか相談をはじめるみんなの輪の中にはいっていった。

全校鬼ごっこから、数日後。

青空には小さな雲がふわりとうかんでいて、朝から気持ちのいい天気だ。

「おはようございます」

校門の前で、登校してくる児童をむかえる校長先生に、ぼくがあいさつすると、

「おはよう、リクくん」

校長先生は笑顔でぼくにうなずいて、すぐにべつの子にもあいさつを返した。

「おはよう、テルくん。おはよう、サツキちゃん。ヒロユキくん、もう熱はだいじょうぶ？」

各学年ひとクラスしかないとはいえ、全校児童の顔と名前を覚えているなんて、すごいと思う。

教室では、今日もタクミとシンちゃんが七不思議の集めかたについて話していた。ぼくがそれに加わって、三人でしゃべっていると、

「おはよう……」

ソラが重い足取りで教室にはいってきた。なんだかずいぶんと暗い顔をしている。

「なんかあったんか？」

机にランドセルを置くソラに、シンちゃんが声をかけると、ソラは大きくため息をついた。そして、いまにも泣きだしそうな表情で、

「校庭の桜の木が、切られちゃうかもしれないの……」

といった。

「ええっ⁉」

おどろくぼくたちに、ソラは元気のない声で話しだした。

七節小学校では卒業式の前に、五年生が中心となって〈六年生を送る会〉を開く。歌や寸劇、リズムなわとびのような出し物から、六年生にも参加してもらう〈七節小学校キングはだれだ！　七節小マニアッククイズ〉のような企画まである、一大イベントだ。

ソラはその実行委員をつとめていて、昨日の放課後も、委員会のみんなと話しあいを重ねていた。

そして、企画のことで相談のあったソラが、ひとりで校長室に向かったところ、部屋の中から教頭先生の声が聞こえてきたのだ。

「……やっぱり、あの桜……切らないと……でしょうか」

ノックしようとしていた手を止めて、ソラは聞き耳をたてた。

「しかたありません」

校長先生が、ため息混じりに答える。

「学校ができたとき……子どもたち……見守って……心苦しいのですが、病気では……」

（え？）

ソラは心の中でさけび声をあげた。

（桜の木を切っちゃうの？）

ドアごしなので、はっきりとは聞きとれないところもあったけど、どうやら桜の木が病気になって、切らないといけない、という話をしているようだ。

「……残念……テング……せいで……」

教頭先生の声が、とぎれとぎれに聞こえてくる。

それに対して、校長先生もくやしそうに返した。

「ええ……あのテング……なければ……」

「天狗？」

話を聞いていたシンちゃんが、びっくりした声をあげた。

「そうなの」

ソラが顔をしかめる。

「桜の木が病気になったのは、天狗のせいだっていうんだけど……」

ソラが聞いた話をつなぎあわせると、どうやら天狗のせいで桜の木が病気になってしまい、なおる見こみもないから切ってしまおう――ということのようだ。

「天狗は山の守り神やぞ。そんなこと、するわけないやろ」

タクミが疑わしそうに口をはさむ。

「わたしもそう思ったんだけど……」

ソラはこまった顔で、足元に視線を落とした。

ふつうの小学校なら、校長先生が桜の木の病気を天狗のせいにするなんて、ありえないだろう。

だけど、ぼくはこの町に引っこしてきてから、仲間といっしょに不思議なことをたくさん体験してきた。

だから、この町なら校長先生が天狗の存在を信じていても、あまり意外ではない。

ただ、ぼくの知っている天狗は、ほこりたかき山の守り神で、悪いことをした人間をこらしめることはあっても、みんなが大切にしている桜の木を病気にするなんて、考えられなかった。

「校長先生にたしかめてくる」

いまにも教室を飛びだしそうなシンちゃんを、

「ちょっと待って」

と、ぼくは止めた。

校長先生は、天狗の存在を信じているかもしれないけど、だからといって、天狗の味方をしてくれるとはかぎらない。

それよりも、まずは自分たちで調べてみたいと思ったのだ。

そのときチャイムが鳴ったので、授業が終わったら桜の様子を見にいくことにして、ぼくたちは席にもどった。

その日の放課後。

教室で送る会のかざりを作っているうちに、下校時刻が近づいてきたので、ぼくたちはあわてて桜の木の元へと走った。

午後から増えだした雲が、いまは空全体をおおっていて、あたりはうす暗くなりつつある。

少しはだ寒いくらいの風がふいていたけど、桜のつぼみは鬼ごっこのときよりもさらにふくらんで、いまにも開こうとしていた。

「うーん……」

ぼくたちの中で、一番背の高いシンちゃんが、つま先立ちで桜の枝に顔を近づけて首をひねる。

「どこも悪そうに見えないけどなあ……」

「そうだね」

ぼくも木の幹を見ながらいった。

もっとも、パッと見ただけではわからない病気なのかもしれない。

ぼくたちはしばらくの間、四人で桜をじっくりと調べたけど、病気らしい様子は見られなかった。

「聞きちがいだったのかな……」

ソラもだんだん、自信のなさそうな顔になってくる。

そのとき、びゅううと音をたてて、冷たい風がふきぬけていった。

「……帰ろっか」

タクミがぽつりといった言葉に、ぼくたちもうなずいて、帰ろうとしたとき、

「あっ……」

ソラが声をあげて、桜の木を指さした。

ふりかえると、この間ぼくとソラがすわっていたあたりで、人の形をした白いかげのようなものが、ふわふわとゆれていた。

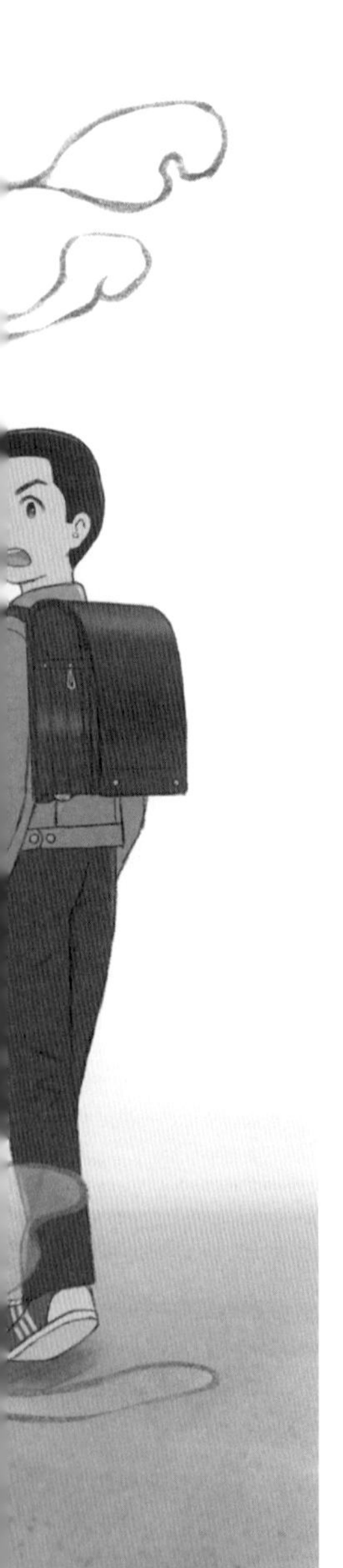

天狗や河童ともちがう、そのはかなげな存在感に、背すじがスーッと冷たくなるのがわかる。

校庭で遊ぶ子どもたちの声が、さーっと遠くになっていった。

ぼくたちが無言でその白いかげを見つめていると、

「わた…………テング…………」


風に乗って、女性の声がかすかに聞こえてきた。

「え?」

ぼくは思わず声をあげた。

いま、たしかに「天狗」といった気がする。

ぼくたちの目の前で、かげはほんのいっしゅん、やさしそうな顔をした女の人のすがたになると、すぐに風にふかれて消えていった。

「ねえ、いまのって……」

だれもいない桜の木を前にして、ソラがつぶやく。

あれがきっと、うわさの幽霊だ。

だけど、すでにうす暗くなってきたとはいえ夜には早いし、まだ桜も満開になってない。

それなのに出てきたということは、ぼくたちによほど伝えたいことがあったのだろうか。

「いま、天狗っていったよな？」

複雑な表情で、タクミがいった。

どうやら、桜の木と天狗、そして幽霊には、なにか関係があるみたいだ。

幽霊が出るからには、この世になにか未練があるにちがいない。

それをたしかめるためにも、まだしばらく桜の木を切るのは待ってほしいところだけど、

「幽霊がなにかを伝えたがってるので、切らないでください」

と校長先生にうったえた場合、

「そんな気味の悪い木は切ってしまえ」

といわれる可能性もある。

だまりこむぼくたちに、

「ギィに相談してみるか?」

と、シンちゃんがいった。

ギィというのは、町のはずれを流れる月森川に住んでいる、こわい話好きの河童の名前だ。

人里にしばしばおりてくるうちに、ぼくたちとも仲よくなって、いまではすっかりシンちゃんのつり仲間だった。

「うーん……」

ぼくは迷った。

たしかに天狗が関係しているとなると、ギィに聞くのが一番よさそうだけど、いくらぼくたちと仲がいいとはいえ、ギィは人間ではない。

天狗と同じ山の住人なのだ。

人間と天狗が対立するようなことになったとき、人間の味方をしてくれるとはかぎらない。

ぼくが自分の考えを説明して、

「ギィに会うのは、自分たちでもっと情報を集めてからにしようよ」

というと、三人はしんけんな顔でうなずいた。

つぎの日の放課後。

ぼくたちはいったんランドセルを置きに家に帰ると、七節神社の石段の下で集合した。

七節神社――別名七不思議神社は、このあたりで一番歴史のある神社で、町の七不思議を絵馬に書いて旧暦の七月七日に奉納すると、願いがかなうといわれている。

去年の夏、引っこしてきたばかりのときに、ぼくはその七不思議がきっかけでタク

ミと出あい、みんなとも仲よくなれたのだ。

長い石段をのぼって鳥居をくぐると、神主さんはちょうど、竹ぼうきを手に境内のそうじをしているところだった。

「こんにちはー」

ぼくたちが声をかけると、

「おや、いらっしゃい」

まっ白な髪をきれいに後ろになでつけた神主さんは、目を細めた。

「今日はおそろいで、どうしたのかな？」

「ちょっと、教えてほしいことがあるんやけど……」

神社の近くに住んでいて、神主さんとも顔なじみのタクミが話を切りだした。

「教えてほしいこと？」

「そうなんです」

ソラが一歩前に出て、神主さんと向かいあう。

「この神社がある場所に、もともとは天狗が住んでたって本当ですか？」

「住んでたってゆうか、まあ、天狗はこのあたり一帯の守り神みたいなもんやからな」

神主さんはそういって、境内の真ん中に大きな日かげをおとしている、りっぱなご神木を見あげた。

昔々、まだ神社のなかった七節村に神社をつくることになったとき、天狗が自分のお気にいりの木を、ご神木として提供してくれたのだ。

ただし、天狗から授かったご神木のてっぺんをふむのは、天狗の頭をふむのと同じなので、一番上までのぼることは禁止されていた。

もしのぼったら、天狗のいかりを買って、どこか遠くにある天狗の隠れ里に連れていかれるらしい。

「七節小学校にある桜の木も、天狗となにか関係があるんですか？」

ソラがさらにたずねた。

「桜の木？　ああ、あの校庭のはしにある木のことかな？」

「はい、そうです」

ソラがうなずくと、

「そうやなあ……学校がある場所も、昔は天狗の遊び場やったから、関係があるかもしれへんなあ」

神主さんはそう前置きをして、おじいさんから聞いたという話を教えてくれた。

天狗の落としもの

いまから百年以上前の話。
七節小学校が建っている場所は、当時は山のふもとに木がまばらに生えているだけの、なにもない荒れ地だった。
春のやわらかな風がふく、ある日のこと。
近所のゲンという少年が、山菜を採りにいった帰りに荒れ地を通りかかって、ふと足を止めた。

殺風景な山のふもとに、一本の桜が見事に花をさかせていたのだ。

満開の桜に見とれていたゲンは、

コツン

なにかかたいものをけとばして、足元を見た。

ちょうど木の真下にあたる地面に、うすよごれた竹のつつが落ちている。

「ん？」

ゲンはつつを拾いあげて、首をひねった。

長さは一尺（約三十センチ）ほどだろうか。底がぬけているので、いれ物ではなさそうだ。

ただの竹づつかと思いながら、なんとなく片方のはしに目をあてたゲンは、

「ひゃっ！」

と声をあげた。

小さな子どもたちが、木の枝でチャンバラをしている光景が、とつぜん目の前にあらわれたのだ。

さっきまでだれもいなかったはずなのにいつのまに、と思ってつつから目をはなすと、やっぱり荒れ地には自分しかいない。

遠くの方に目をこらすと、田んぼを何枚もこえたところで、子どもたちがチャンバラをしている様子が、豆つぶのように小さく見えた。

ゲンがそちらにつつを向けると、子どもたちがすぐ近くにいるように大きく見える。

「なんや、これは!」

ゲンは興奮して声をあげた。

まだ望遠鏡も双眼鏡も、一般的ではなかった時代に、それは魔法のようだった。

ゲンは夢中になって、つつをあちこちに向けた。

はるか遠くの道ばたでじゃんけんをしている子どもの手の形や、畑を耕しているおじいさんの顔のしわまで、はっきりと見える。

気がつくと、とっくに日は暮れて、山の向こうに太陽がしずもうとしていた。

「やべえ！　父ちゃんにしかられる！」

ゲンは手ばなすのがおしくて、竹づつを持ったまま、いそいで家に帰った。


つぎの日になると、ゲンはだんだんこわくなってきた。

こんな不思議なつつの持ち主が、ただの人間であるはずがない。おそらく、妖怪かもののけのたぐいだろう。

迷った末、ゲンは自分が拾ったことはかくして、物知りのじいちゃんに聞いてみることにした。

「なあ、じいちゃん。遠くのものが、すぐ近くにあるように見えるつつなんて、あるんかな？」

「そりゃあ、天狗の遠めがねやな」

じいちゃんは、すぐに答えた。

「天狗の遠めがね？」

「ああ、そうや。天狗の神通力で、遠くのもんがすぐ近くに見えるようになる、不思議なつつのことや。なんでも、天狗は山のふもとにある桜の木が大のお気にいりで、ときおり木のてっぺんにのぼっては、村のあちこちを見物してるそうやで」

それを聞いて、ゲンはふるえあがった。

天狗といえば、山の神様と同じだ。

神様のものをこっそり持ってかえったりしたら、どんなバチがあたるかわからない。

ゲンは今日も山菜を採りにいくといって家を出ると、あの荒れ地へと向かった。

はじめは桜の木の下に置いていこうと思ったが、だれかに拾われたり、動物がくわえていったりするといけないと考え、山のおくにあるといわれている天狗の住処まで、直接持っていくことにした。

だんだんと細く、険しくなる山道を、息も絶えだえになりながら歩いていると、

「おい、おまえ」

頭上から、声が聞こえてきた。

ゲンが顔をあげると、枝の上に天狗がうでを組んで立っていた。
真っ赤な顔に長い鼻、山伏のような身なりをして、背中には羽を生やしている。
じいちゃんに聞いたとおりのかっこうだ。

「そんなところで、なにしてるんや。ここから先は天狗の土地、人間がはいったらいかんぞ」

天狗はトンと枝をけって、ゲンの前におりたった。
向かいあってみると、天狗は意外と小がらだった。十になったばかりのゲンと、背たけはあまり変わらない。だけど、人間にはないいげんが感じられた。

「あ、あの、これを……」

ゲンが竹づつをさしだすと、

「これは遠めがねやないか。なんでおまえが持ってるんや」

天狗は目を丸くした。

ゲンはおびえながら、ふもとにある桜の木の下で拾ったこと、手ばなしたくなくて持ってかえってしまったことを正直に話した。

天狗はだまって話を聞いていたが、

「なるほど。それでわざわざ返しにきたんか」

そういって、ゲンを頭のてっぺんから足の先までしげしげとながめた。

厳しい山道をのぼってきたせいで、手やうでは切り傷だらけ、ぞうりをはいた足からも血がにじんでいる。

「勝手に持っていって、ごめんなさい」

深々と頭をさげるゲンに、

「気にせんでええ」

天狗はやさしい口調でいった。

「それより、ようここまでひとりでのぼってきたな。つかれたやろ。休んでいけ」

天狗は天河山を守る大天狗の一族で、四郎丸と名乗った。

人間の暦でいうと、もう何十年も生きているが、それでも天狗の世界ではまだまだ子ども同然らしい。

昨日は大天狗からもらった遠めがねで、人間の世界を見物していたところ、うっかり落としてしまったのだそうだ。

「どこでなくしたか覚えてなかったから、バレたら大天狗どのにしかられるとこやった。おまえはおれの恩人や」

天狗はゲンを近くの岩にすわらせると、木のしるのようなものを手や足の傷にぬった。

みるみるうちに、けががなおっていく。

さらに、天狗がくれた木の実を一つぶ食べると、おなかがいっぱいになってつかれがとれた。

元気になったゲンに、天狗は村のことをいろいろと質問した。

人間はどんなものを食べるのか、どんなものを好むのか、村ではどんな歌や遊びがはやっているのか――。

ゲンの話を聞きおえると、天狗は山を案内してくれた。

食べられるキノコや、薬になる植物の見わけかたを教え、草笛をつくってみせる。

しだいにうちとけた天狗とゲンは、知っている歌をおたがいに歌ったり、木の実を食べたりして、楽しくときを過ごした。

木の実の効果なのか、どれだけ遊んでも、ねむくもならなければおなかもすかない。

しかし、ゲンはだんだんと家が恋しくなってきた。

「そろそろ帰らないと」

ゲンがいうと、

「それじゃあ、山のふもとまで送ってやろう」

天狗はゲンを背中に乗せて、あっという間に桜の木まで連れていってくれた。

空はすっかり夕焼けにそまっている。

「ありがとう」

天狗に手をふって別れると、ゲンは家路をいそいだ。

すると、とちゅうのあぜ道で、とぼとぼと歩く父親を見つけた。

「とーちゃーん」

ゲンが手をふってよびかけると、父親は足を止め、目を大きく見開いた。

そして、すごいいきおいでかけよってきたかと思うと、かたをつかんで、

「ゲン！　おまえ、いったいどこにいってたんだ！」

と、問いつめながら、激しく前後にゆさぶった。

「え？　いや、ちょっと山菜採りに……」

「そんなわけないだろう。おまえが家を出てから、もう二週間もたっているんだぞ！」

「二週間？」

ゲンはびっくりした。

ようやく落ちついた父親から話を聞くと、ゲンはあの日、山菜を採りにいくといって家を出たきり、まるまる二週間も帰ってこなかったというのだ。

その間、村人総出でさがしていたが、手がかりすら見つからなかったらしい。

「そんな……」

ゲンはあっけにとられた。

天狗の元で半日ほど過ごしただけのつもりが、村では半月がたっていたのだ。

その後、ゲンは天狗から聞いたキノコや山草の知識を活かして、村人から大変感謝されたということだった。

「その遠めがねが落ちていたのが、いま校庭にある、あの桜の木の下やといわれておるんや」

神主さんが話しおえると、

「ゲンがいたのは、天狗の隠れ里だったのかな?」

ソラが山の方をふりかえりながらいった。

「いや、ちがうんやないかな」

神主さんは首をふった。

隠れ里は天河山とはべつの、どこか遠い場所にあるらしい。

ゲンが連れていかれたのは、天狗が幻術で人の目には見えないようにしてある、天河山の山おくだろうということだった。

「それからも天狗は、木の上で遠めがねを構えているところを、たびたびもくげきされたそうやで」

神主さんはそういって笑った。

どうやら、あの桜の木は天狗のお気にいりだったようだ。

それならどうして病気にしたりするのか、よけいにわけがわからないなと思っていると、

「神主さんも、七節小の卒業生なんですか？」

シンちゃんが聞いた。

「そうやな。きみらの大先輩になるかな」

「そのころって、桜の木の下に幽霊が出るっていううわさはありましたか？」

シンちゃんは重ねてたずねた。

「幽霊？」

おどろいた顔で聞きかえす神主さんに、シンちゃんは幽霊の話をかんたんに説明したけど、

「いやあ……ちょっときおくにないなあ……」

神主さんは、まゆを寄せて首をふった。

「あの……」

ぼくは横から口をはさんだ。

「ちなみに、学校の七不思議はありましたか？」

「七不思議か……七つかどうかは覚えてないけど、怪談話は聞いたことあるよ」

神主さんはほほえんで、こんな話を教えてくれた。

ゆれるブランコ

いまはもうないけど、神主さんが小学生のころは、校庭のはし、桜の木の近くにブランコがあったらしい。

青くぬられたブランコが二つと、赤いブランコが二つ。

夜になると、だれも乗っていないのに、そのブランコがひとりでにゆれているというわさがあった。

神主さんが三年生のとき、同級生のTくんが、うわさをたしかめようと、夜中にこっそり家をぬけだして、学校にしのびこんだ。

（やっぱり、夜はこわいなあ……）

校舎は真っ暗で、シンと静まりかえっている。

Tくんがびくびくしながら、ブランコに近づこうとすると、

キーコ、キーコ……

青いブランコのひとつが、まるでだれかが乗っているみたいに、前後に大きくゆれているのが見えた。

もちろん、校庭にはだれもいない。

(うわさは本当だったんだ……)

Tくんがきょうふで動けずにいると、

「ニャー」


あまえるような鳴き声とともに、黄色い目をした黒い猫が、Tくんの足元をすばやくかけぬけていった。

黒猫はそのままのいきおいで、赤いブランコに、ぴょん、と飛びのると、後ろ足で強くけって、地面におりたった。

その反動で、赤いブランコがだれも乗っていないのに、キーコキーコとゆれはじめる。

「なーんだ」

Tくんはホッと息をはきだした。

おそらく、青いブランコがゆれていたのも、この黒猫のしわざだろう。

「おい、おまえ。おどかすなよ」

きんちょうがゆるんだTくんが、朝礼台のそばで毛づくろいをしている黒猫に声をかけると、黒猫はじっとTくんを見つめて、

「なんかもんくあるのかよ」

低(ひく)い声で、はっきりとそういった。


「そのときの黒猫(くろねこ)は、まるで人間のような顔つきをしていたそうやで」

神主(かんぬし)さんが話をしめくくったとき、

「ニャー」


どこからか猫(ねこ)の鳴き声が聞こえてきて、ぼくたちはビクッとした。

社務所(しゃむしょ)の方から、つやつやとした毛なみの黒猫(くろねこ)が、トコトコと歩いてくる。

そして、神主(かんぬし)さんの足元に体をすりつけると、あまえるようにもう一度「ニャー」

と鳴いた。

「びっくりさせてしもたかな」

神主(かんぬし)さんは苦笑(くしょう)しながら、黒猫(くろねこ)をだきあげた。

「最近、神社の境内に住みついてるから、世話をするかわりに、留守番をたのんでるんや」

「ニャー」

黒猫は、人間の言葉がわかっているみたいに鳴き声をあげた。

「そろそろお客さんがくるから、これで失礼するよ」

神主さんが猫といっしょに、社務所へもどっていくと、

「どうやら、あの桜の木が天狗と関係してるのは、まちがいなさそうやな」

シンちゃんがこしに手をあてていった。

「そやけど、なんで天狗はお気にいりの木を病気にさせてるんやろ……」

タクミはむずかしい顔をして、ご神木の幹に手をふれた。

「天狗に直接聞けたら、話は早いのにな」

「てっぺんまでのぼってみたら?」

ソラがからかうようにいう。

「おこった天狗が、連れにくるかもよ」

「それはちょっといややなあ」

タクミは笑いながら、空に向かって大声でさけんだ。

「おーい、天狗ー！　聞きたいことがあるんやー！」

すると、まるで返事をするみたいに、山の上から強い風がふきおりてきて、ご神木の葉をゆらした。

とつぜんのふんいきの変化にとまどっていると、

「呼んだか？」

頭の上から、野太い声が聞こえてきた。

上空に目を向けると、大きな鳥のようなかげが見える。

かげは小さく旋回して着地した。

真っ赤な顔に高い鼻。山伏のようなかっこうに、背中に大きな羽の生えた天狗が、ぼくたちの前に立っていた。

背はシンちゃんよりも、少し高いくらいだろうか。

以前、天河山を守る大天狗に会ったことがあるけど、目の前にあらわれたのは、ひと回り小さな天狗だった。

まさか本当にやってくるとは思わなかったぼくたちが、ご神木の下であぜんとしていると、

「ん？　どうした？　おまえらが呼んだんじゃろ」

天狗はそういって、ニヤリとした。

「もしかして、いまの声が聞こえたんですか？」

タクミがおどろいた顔でたずねる。

「おれはじごく耳やからな」

天狗はカッカッカと笑った。

「まあ、ほんまのところは、たまたま神社の上を通りかかったら、だれかが呼んでたからおりてきただけや」

そこで言葉を切ると、ぐっと顔をつきだして、ぼくたちの顔をぐるりと見まわした。

「それにしても、おまえらは変わっとるな。おれを見たら、たいていの人間はこわがってにげだすもんやぞ」

「天狗には、何度か会ってるから……」

ぼくがそういうと、天狗は目を細めて、

「おお、おまえらがうわさの子どもたちか」

といった。

どうやら、天狗や河童と仲よくしている人間の子どもということで、山の住人の間では有名なようだ。

「おれは天狗一族のはぐれ者、四郎丸や」

天狗が名乗るのを聞いて、ソラが「あっ」と声をあげた。

「もしかして、遠めがねを落とした天狗さんですか？」

ソラの言葉に、四郎丸はうれしそうにいった。

「よう知っとるな。ひょっとして、ゲンの知りあいか？　あいつは元気にやってるか？」

「え、えっと……」

ソラは口ごもった。

神主さんはさっき、百年以上前の話だといっていた。

だったら、いくら長生きだとしても、たぶんもう――。

ソラの態度を見て、人間の寿命がどれくらいなのかを思いだしたのだろう。四郎丸は急にかたを落とすと、

「そうか……そうやったな……」

さびしそうにつぶやいた。

「ついこの間のように思ってたんやけどな……」

やっぱり天狗は、時間の感覚が人間とはだいぶちがうみたいだ。

「あの……桜の木について聞きたいんですけど……」

ソラはきんちょうした面持ちで、自分たちがその桜のある学校に通っていることや、病気のせいで切りたおされそうだということを話した。

「そんなことになってたんか……」

四郎丸はしんみょうな顔でいった。

「それで、おれになにが聞きたいんや？」

ソラはしばらくためらっていたけど、やがて決心したように顔をあげると、四郎丸をまっすぐに見ながらいった。

「桜を病気にしたのは、四郎丸さんなんですか？」

「おれ？」

ソラの言葉に、四郎丸は本当にびっくりした様子で、少し声をあらげた。

「そんなわけないやろ！」

「でも、校長先生がそういってたのを聞いたんです。それに、桜の幽霊も……」

「校長がなんでそんなことをゆうたんかは知らんけど、おれがこの町にもどってきたのは、二、三日前やぞ」

四郎丸は仙術の修行をするため、いまから五十年ほど前にこの地をはなれ、日本中をわたりあるいて、ひさしぶりに七節町に帰ってきたのだといった。

「あの……」

ぼくはおずおずと手をあげてたずねた。

「このあたりに、ほかの天狗っているんですか？」

「よその土地からきてないかぎり、この山におるのは、大天狗どのとおれくらいやけど……」

四郎丸があごをなでながらいいかけたとき、風がヒューッと笛のような音を立てて、四郎丸はハッと顔をあげた。そして、

「おっと、大天狗どのが呼んどる。とにかく、おれは桜を病気になんかしてへんからな」

そういいのこすと、ふわりと飛びあがって、あっという間に山の向こうへ去っていった。

四郎丸がいなくなると、シンちゃんがソラに聞いた。

「校長先生たちは、本当に天狗っていってたのか？」

「うん」

ソラはこんわくした表情で答えた。

「まちがいない。それに、みんなもあの幽霊の声を聞いたでしょ?」

「まあ、そうなんだけど……」

シンちゃんは頭をガシガシとかいた。

たしかに、あの幽霊は「天狗」と口にしていたし、ほかにかんちがいしそうな言葉も思いつかない。

だけど、ぼくには四郎丸がうそをついているようにも見えなかった。

しばらくのちんもくのあと、

「なあ」

口を開いたのは、タクミだった。

「あの幽霊って、だれなんやろ」

「だれって? どういうこと?」

ぼくが聞きかえすと、タクミはひと言ずつたしかめるように続けた。

「幽霊って、ふつうはだれかをうらんだり思いのこしたことがあって出てくるもんやろ？　あの女の人がだれなのかわかったら、あらわれる理由もわかるんやないか？」

いわれてみれば、たしかに幽霊は河童や天狗とちがって、元は人間なのだ。

「でも、学校で女の人が亡くなったなんて、聞いたことないけど……」

ソラがまゆを寄せる。

神主さんも、幽霊の話は知らないといっていた。

つまり、神主さんが卒業したあとのこの数十年の間に、なにかそういう事故か事件が起こったのだろう。

「帰ったら、父ちゃんにたしかめてみるよ」

シンちゃんがいった。

シンちゃんのお父さんは町役場に勤めているので、町で起こったニュースにもくわしい。

それからぼくたちは、今後の方針について話しあった。

その結果、幽霊がなににこだわっているのかをつきとめるため、まずはその身元を調べよう、ということになった。

「そういえば、学校の七不思議の方はどうする?」

石段をおりながら、ぼくはみんなに聞いた。

「そうやなあ……」

シンちゃんが指を折って数える。

「できたら、あと三つか四つぐらいはほしいとこやな」

「ブランコの怪談みたいに、いまはない遊具をネタにしても、おもしろくないしなあ」

タクミが頭の後ろで手を組んで、暗くなりはじめた空をあおぎながらいった。

「ねえ、町の七不思議を集めたら、願いがかなうのよね?」

石段をおりきったところで、ソラがぼくたちをふりかえった。

「それじゃあ、学校の七不思議を集めたら、どうなるのかな?」

「よく聞くのは、七つとも知っちゃったら、すごくおそろしい目にあうとか、どこかちがう世界に連れていかれるとかだけど……」

ぼくは前の学校で聞いた話を口にしてから、自分の意見をつけくわえた。

「どうせなら、願いがかなうとか、いいことが起こる方がいいな」

「だったら、わたしたちで七不思議のおまけを決めちゃおうよ」

ソラが声をはずませる。

「『七不思議を全部集めたら、願いがかなっていいことが起きる』」

「それだと、こわさがなくなっちゃわないか？」

首をかしげるタクミに、ぼくは笑いながらいった。

「七つの不思議なんだから、べつにこわくなくてもいいんじゃない？　それに……」

「それに……なに？」

言葉につまるぼくの顔を、ソラがのぞきこむ。

「――なんでもない」

ぼくは首をふってごまかした。

ぼくたちが残した七不思議を集めてくれた七節小の後輩には、やっぱりよろこんでもらいたいから――というのが、なんとなく気はずかしかったのだ。

「よし、決まりだな」

シンちゃんが、パチンと手をたたいた。

「学校の七不思議の特別ルールは、『全部そろえたら、いいことが起きる』だ」

「賛成！」

ぼくたちの声が、うすやみにつつまれた空にひびいた。

家に帰って、母さんとばあちゃんと三人で晩ごはんを食べていると、父さんが帰ってきた。

調理師として長年働いてきた父さんは、地元の七節町にもどってからは、あとつぎをさがしていた小さな洋食屋さんをまかされていた。

夜も営業しているので、ふだんはぼくがねる前くらいに帰ってくることが多いんだけど、今日はお店の定休日で、仕入れの相談に出かけていたのだ。

やっぱり故郷で飲食店をやるからには、できるだけ地元の食材を使いたいということで、あちこちの農家をまわってきたらしい。

「父さんも、七節小学校の卒業生なんだよね」

いすにすわるなり、おいしそうにビールを飲みはじめる父さんに、ぼくは話しかけた。

「卒業して、もう三十年近くたつけどな」

父さんはきげんよくうなずいた。

「父さんが通ってたころ、桜の木の下に幽霊が出るってうわさはあった？」

「桜の木って、あの校庭のはしにあるやつか？　いや、聞いたことないなあ……」

ということは、少なくとも三十年前には、まだ幽霊は出ていなかったわけだ。

「それじゃあ、学校の七不思議は？」

ぼくが続けて聞くと、

「七不思議？　そうやなあ……七不思議かどうかはわからんけど、こんな話やったら聞いたことあるぞ」

父さんはきおくをさぐるように遠くを見つめながら、赤い顔で話しはじめた。

音楽室の怪

七節小学校の音楽室のかべには、ベートーベンやモーツァルトなど、有名な音楽家のしょうぞう画が何枚もかざってある。

この音楽室には、だれもいないとき、音楽家たちが絵からぬけだして、演奏会を開いているといううわさがあった。

ある日のこと。

六年生のM子は朝早くに学校にいくと、音楽室へと向かった。

通っていたピアノ教室の発表会を前にして、一度有名な音楽家たちの演奏を聞いてみたいと思ったのだ。

ところが、音楽室の前までいって、ドアに耳をあてるけど、演奏会どころか、物音ひとつ聞こえてこない。

防音になってるからかも――だめもとで取っ手をにぎると、まるでM子をさそうみたいに、ドアはかんたんに開いた。

足音をしのばせて、おそるおそるはいってみる。

だけど、音楽家たちはしょうぞう画の中で見なれたポーズをとったままで、演奏会は開かれていなかった。

（やっぱり、ただのうわさだったのかな……）

M子はがっかりしながら、黒く光るグランドピアノに近づいた。

マンションに住んでいるM子は、いつも電子ピアノで練習しているので、グランドピアノは、レッスンのときくらいしかさわる機会がない。

「ちょっとだけなら、いいよね……」

M子はピアノのふたを開けて、いすの高さを調節すると、音量をおさえながら、今度の発表会でひく予定の曲を演奏した。

電子ピアノとはかんしょくのちがうけんばんを、最後までミスすることなくひきおえたM子が、ふーっと大きく息をはきだすと、パチパチパチパチ……。

どこからか、はくしゅの音が聞こえてきた。

顔をあげると、ベートーベンやモーツアルトたちが、しょうぞう画の中で手をたたいている。

M子はこわいというよりもうれしくなって、いすから立ちあがると、深々とおじぎをした。

そのときの演奏で自信がついたのか、発表会は大成功だった。
M子の同級生で、べつのピアノ教室に通っているS代は、なやんでいた。

発表会が二週間後にせまっているのに、練習不足のせいで、先生に「このままでは、本番にまにあいませんよ」といわれていたのだ。

そんなとき、M子から話を聞いたS代は、

「だれもいない音楽室でピアノをひいたらうまくなるんだ」

と、自分に都合のいいようにかいしゃくして、日曜日の朝、音楽室にしのびこんだ。

ピアノに向かって、発表会でひく予定の曲を演奏する。

ところが、M子とちがってあまり練習を熱心にしてこなかったため、何度もまちがえたりつまったりして、さんざんなできだった。

「もういいや」

けっきょく、ちゃんとした演奏ができないまま立ちあがったS代は、音楽室を出ようとして、

「え？　なんで？」

と声をあげた。

はいるときはすんなりと開いたドアが、かぎもかかっていないのに、開かなくなっ

てしまったのだ。

S代が力をこめて、なんとかドアを開けようとしていると、

「こらぁっ!」

どこからか、大きなどなり声が聞こえきて、S代はその場にこしをぬかしてすわりこんだ。

ふりかえると、さっきまではだれもいなかった音楽室に、どこかで見たことのある人たちが何人もならんでいる。

その中のひとり——もじゃもじゃ頭の男性が、険しい顔つきでS代につめよった。

「我々が心血を注いでつくった曲に対して、あんな演奏でいいと思っているのか!」

「あ、あなたはだれですか?」

S代はふるえる声で聞いた。

「わたしはベートーベンだ」

その男性——ベートーベンは、低くよく通る声でいって、胸を張った。

そのとなりでは、モーツァルトやハイドンたちが、うんうんとうなずいている。

ベートーベンがどうして日本語をしゃべれるの——と、つっこむひまもなく、

「さあ、特訓だ。わたしの曲をひくからには、上達するまで帰さんぞ」

S代はガシッとかたをつかまれると、そのままピアノの前にすわらされた。

日曜日なのに、音楽室からかすかに聞こえるピアノの音をふしんに思った警備員が様子を見にいくと、S代がふらふらになりながら、同じフレーズを何度もくりかえしひいていた。

それ以来、S代はピアノの練習をまじめにするようになったということだ。

父さんの話を聞いて、ぼくは音楽室の様子を思いうかべた。
たしかに、しょうぞう画が何枚も後ろのかべにはってあった気がする。
どの音楽家も厳しい表情をしていたから、あれがそのままぬけだしてきたら、そうとうこわいだろうなと思っていると、

「お母さんが通ってた小学校にも、トイレの花子さんのうわさがあったわよ」

先にごはんを食べおわっていた母さんが、お茶をいれながらいった。

「え？　ほんと？」

ぼくが身を乗りだすと、

「これは、お母さんがリクと同じ五年生のときに、クラスの友だちから聞いた話なんだけど……」

母さんはそう前置(まえお)きをして、お茶をひと口飲んでから話しはじめた。

トイレの花子さん

母さんの通っていた小学校には、校舎(こうしゃ)の四階にある女子トイレに〈花子さん〉が住

んでいるといううわさがあった。

ある日の放課後。

五年生の香澄は、友だちの真奈といっしょに、トイレの花子さんが本当に出るのか、たしかめてみることにした。

うわさでは、四時四十四分に入り口から四番目のドアを四回ノックして、

「花子さん、遊びましょ」

と呼びかけると、だれもいないトイレの中から、

「なにして遊ぶ？」

と返ってくる。

そこで「なわとび」と答えると首をしめられ、「おままごと」と答えると包丁でさされ、「かくれんぼ」と答えると異次元に連れていかれるというのだ。

「それじゃあ、なんて答えればいいの？」

四階のろうかを、香澄のあとについて歩きながら真奈が聞くと、

「花子さんは勉強が苦手だから、『学校ごっこ』っていうと、にげていくんだって」

香澄はそう答えて、トイレの中へとはいっていった。

家からこっそり持ってきたお母さんのうで時計をポケットから取りだして、時間をたしかめる。

そして、ちょうど四時四十四分になったしゅんかん、四番目のトイレの前に立って、

コン、コン、コン、コン

四回ノックしてから、小さな声で呼びかけた。

「花子さん、遊びましょ」

そのまましばらく息をつめていたけど、どれだけ待っても、なにも起こらない。

「なーんだ。やっぱり……」

うわさだったみたいね——香澄がそう口にしようとしたとき、

「はぁぁあぁぁいぃいぃい……」

トイレのかべにはんきょうして、不気味な声が返ってきた。
同時に、閉まっていたドアが、ゆっくりと開きはじめる。

ギィイイイ……

そのきしむような音を聞いて、二人はおたがいの手を、ギュッとにぎりしめた。
しかし、個室の中にはだれもいなかった。
香澄と真奈が顔を見あわせていると、

「ねえ……なにして遊ぶ?」

またどこからか、声が聞こえてきた。
二人がふるえていると、

「こっち、こっち」

すぐわきの鏡の中から、おかっぱ頭の女の子が、にたりと笑っておいでおいでをしていた。

「香澄ちゃんと真奈ちゃんは、すぐにトイレからにげだしたそうよ」

母さんが話をしめくくると、

「それにしても、なんで急に学校の七不思議なんか調べはじめたんや？」

父さんが興味をもった様子でたずねてきた。

「それが……」

ぼくは、タクミやシンちゃんも七節小の七不思議を知らなかったことを話して、

「だったら、自分たちでつくってみようと思ったんだ。そうしたら、卒業したあとも、七節小にずっと残りつづけるでしょ？」

といった。

ぼくの話にうなずいた父さんは、しんけんな表情で、

「リク、学校は楽しいか？」

と聞いた。

「うん！」

ぼくはいきおいよくうなずいた。

「すごく楽しいよ」

「そうか」

父さんはうれしそうに笑った。

父さんの母さん、つまりぼくのばあちゃんがけがをしたことがきっかけで、ぼくは五年生の夏休みというちゅうとはんぱな時期に、とつぜん引っこしてくることになった。

はじめは不安だったけど、いまではこの町の生活がすっかり気にいっていた。

友だちも学校も、そして町をつつみこむ山や川も、すべてがあたたかくて、刺激的だ。

もうすぐぼくたちは、六年生になる。

受験する人もいるだろうし、いまの友だちと、いつまでいっしょにいられるかはわからない。

だからこそ、いまのこの時間を、力いっぱい楽しみたかった。

そのためにも、気がかりな桜の木の問題を解決しないとな――ぼくは、幽霊のことを想いながら心にちかった。

つぎの日の昼休み。

ぼくたちは教室のすみで、シンちゃんの報告を聞いていた。

町役場につとめているシンちゃんのお父さんによると、学校やその周辺で、女の人が事故や事件で亡くなったという記録は、少なくともここ二、三十年はなかったということだ。

「それじゃあ、あの幽霊は……」

いったいだれなんだろう……と、ぼくがいいかけたとき、

「ねえ」

ソラが小さく手をあげて口を開いた。

「もしかして、卒業生なんじゃない？」

「卒業生？」

タクミが聞きかえす。

「うん。幽霊って、心残りとか思いいれのある場所に出るわけでしょ？　学校に出るっていうことは、やっぱりここに通ってた人なんじゃないかな」

そういって、ソラは色づいてきた桜を窓から見おろした。

ソラの言葉を聞いて、ぼくは「なるほどな」と思った。

たしかに、学校の近くでだれも亡くなっていないのなら、幽霊の正体は、七節小に通っていた人という可能性が一番高そうだ。

たとえば、桜の木の下にタイムカプセルを埋めて、それをほりださないまま病気で亡くなってしまったとか……。

「そやけど、卒業生やったら人数が多すぎて、見つけようがないんとちがうか？」

シンちゃんがむずかしい顔でいった。

「せめて、いつ卒業したのかわからんと……」

「それは調べられるんじゃない？」

ぼくがいうと、みんなが「え？」という顔でぼくを見た。

「リク、どうやるんや？」

シンちゃんの質問に、ぼくは考えをまとめながら答えた。

「えっと……幽霊って、たいてい死んだ直後に、そのすがたのままで出てくるわけでしょ？　大人の年れいはわかりにくいけど、あの幽霊は増田先生よりも少し上くらいに見えたから、いつごろあらわれだしたかさえわかれば、そこから逆算して、何年前の卒業生かもつきとめられるんじゃないかな」

増田先生というのは、ぼくたちの担任の女の先生で、たしか二十代の半ばだったはずだ。

「でも……」

ソラが、なにかが気になっているかのようにつぶやく。

「どうしたの？」

ぼくが声をかけると、ソラは小さく首をふって、

「なんでもない。それより、どうやって調べる？」

明るい顔でいった。

いまのところ、校長先生にはないしょで調査を進めていることもあって、先生たちには協力をお願いしにくい。

「それやったら、だがし屋のおばちゃんに聞いてみたらどうや？」

タクミの提案に、ぼくたちは賛成した。

学校の近くにあるだがし屋は、父さんが子どものころから同じ場所で営業していて、いまのおばちゃんで二代目らしい。

七節小の児童なら、一度はいったことのあるお店なので、うわさにもくわしいはずだ。

ぼくたちは家に帰ると、ふたたびお店の前で集合した。

「いらっしゃい」

おばちゃんがニコニコとむかえてくれる。

いきなり質問だけするのは失礼なので、調査をする前に、ぼくたちはラムネやお菓子を買った。

ぼくはあんずあめ、ソラはふがし、シンちゃんは口の中でパチパチとはじけるキャンディだ。タクミは水をとかして飲むオレンジの粉ジュースを、粉のままでなめている。

もちろん、これも調査のためだ。

ラムネを飲みほしたところで、ぼくは本題にはいった。

「ああ、桜の幽霊ね」

おばちゃんは話を聞くと、すぐにうなずいた。

「あの幽霊のうわさって、いつごろからあるのか、わかりますか?」

タクミに聞かれて、おばちゃんは「うーん」とうなった。

両手でひじをつかんで、雲が流れる空を見ながらきおくをさぐる。

「そうやね……うわさを聞くようになったんは、ここ五年くらいとちがうかな」

ぼくは頭の中ですばやく計算した。

仮に、幽霊が五年前に三十才だったとすると、いま生きていれば三十五才。

つまり、小学校を卒業したのは二十三年前ということになる。

たしか、図書室に過去の卒業アルバムがあったはずだ。

「ありがとう、おばちゃん!」

ぼくたちはだがし屋をあとにすると、学校にもどった。

七節小では、図書室は下校時刻まで自由に使えるのだ。

ぼくたちはちょっとドキドキしながら〈本を読む少女〉の前を通って、卒業アルバムをさがした。

二十三年前の前後五年分くらいのアルバムをぬきだして、手分けして写真を見ていく。

だけど、なかなかそれらしい人は見つからなかった。

それに、アルバムにのっているのは六年生のときの顔なので、大人になって印象が変わっているかもしれない。

幽霊の顔を、もう一度しっかり確認したくなったぼくたちは、図書室を出ると、桜の木に向かった。

下校時刻が近づいて、校庭には夕やみがせまっている。

最近、暖かい日が多かったからか、花も順調に開いていて、この調子だと卒業式のあたりでちょうど満開になりそうだ。

そのままじっと待っていると、木の下に白いかげがぼんやりとうかびあがった。

ぼくたちは、その顔のあたりを見つめた。

だけど、髪の長い女の人だというのはなんとなくわかっても、それ以上のことははっきりとしなかった。

「あなたはだれですか？」

ソラが直接呼びかけるけど、かげはゆらゆらとゆれるばかりで、返事はなにもかえってこない。

いつのまにか、校庭にいるのはぼくたちだけになっていた。

あたりは少しずつ暗くなっていく。

それでもぼくたちが、じっとだまって待っていると、

「…………テン……」


幽霊の口から、かすかに言葉がもれた。

「え？　なに？」

ソラが耳を近づける。

「……をしろ……ないと……」

ぽつりぽつりと声が聞こえるけど、風にかきけされて、なんといっているのか、なかなかわからない。

「テン……やっぱり、天狗？　どういう意味なの？　あなたはなにをしてほしいの？」

ソラがけんめいに話しかけるが、幽霊はいっしゅん、さびしそうな顔を見せると、つぎのしゅんかんには空気にとけるように消えてしまった。

家に帰ると、夕食の準備ができていた。

「いただきまーす」

今日は父さんはおそいので、母さんとばあちゃんと三人の食卓だ。

「七不思議は集まったの？」

食べはじめるなり、母さんが聞いてきたので、

「まだ半分くらいかな」

コロッケをほおばりながら、ぼくは答えた。

桜の幽霊に、段数の変わる階段、図書室の少女、音楽室のピアノ……。

だけど、七つ集まっても、トイレの怪談ばかり三つも四つもあったらおもしろくないし、あんまりこわすぎると低学年の子がいやがるかもしれない。

だから、できるだけたくさんの中から、いかにも不思議な話を七つ選びたかった。

夕飯を食べおわると、母さんがいれてくれた熱いお茶を飲みながら、ぼくはばあちゃんに質問した。

「ばあちゃんが子どものころは、怪談とかなかったの？」

「そうやなあ……」

ばあちゃんは、お茶をすすりながら、のんびりとした口調で答えた。

「畑から帰ってくるとちゅうで、ムジナにだまされて大根をとられた、なんて話はよう聞かされたなあ」

前に「町の七不思議を知らない？」とたずねたとき、その話をしなかったのは、昔はキツネとかムジナに化かされるのがあたり前すぎて、あまり不思議には思わなかったからだそうだ。

「それじゃあ、幽霊は？」

「おばけさんか？」

ばあちゃんは変わったいいかたをすると、

「そういえば、いっぺんだけ、見たことあるわ。あれはたしか、ばあちゃんが六つのときやったなあ……」

そういって、ゆっくりとした口調で話しだした。

ひな人形のある家

「わー、すごい」

自分の背よりもはるかに大きな、七段かざりのおひなさまを前にして、ばあちゃんはかんせいをあげた。

三月三日のひな祭り。

ばあちゃんは、近所に住むかよちゃんの家に遊びにきていた。

その家には、客間の半分をしめるほどのりっぱなおひなさまがあって、毎年ひな祭りになると、同級生の女の子が招かれていたのだ。

いつもはもっとたくさんの子どもが集まるのだが、その年はみんな都合が悪かったのか、ばあちゃんとかよちゃんの二人だけだった。

二人はしばらくの間、おひなさまの前であられを食べながらおしゃべりしていたが、やがてあきてくると、二階の子ども部屋に移動した。

折り紙やあやとりで遊んでいるうちに、トイレにいきたくなったばあちゃんは、かよちゃんに断って、階段をおりた。トイレをすませて、客間の前を通る。そこで、どうしてももう一度ひなかざりが見たくなったばあちゃんは、ふすまをそっと開けて、中をのぞいた。

すると、ひな人形の正面に、見知らぬおじいさんがすわっているのが見えた。

だれだろうと思っていると、そのおじいさんはばあちゃんの方をふりかえった。そして、ニコッと笑うと、電気が消えるみたいにパッといなくなった。

「えっ！」

ばあちゃんが、こわいというよりも、びっくりして、その場でかたまっていると、

「どうしたの？」

ろうかを通りかかった、かよちゃんのお母さんが、心配そうに声をかけた。

「いま、おじいさんが……」

ばあちゃんが、いま見たおじいさんの特ちょうを伝えると、

「ちょっと、こっちにきてくれる？」

お母さんはそういって、ばあちゃんを仏間に連れていった。

かべの高い位置に、亡くなった人の写真がならべられている。

その中に、さっきのおじいさんの顔を見つけて、ばあちゃんは
「あっ」と、指さした。

「やっぱりね」

かよちゃんのお母さんはほほえんで、

「あの人は、わたしのおじいさん――かよのひいおじいさんなんよ」

と、教えてくれた。

お母さんによると、かよちゃんのひいおじいさんは人形師で、あのおひなさまは、ひいおじいさんが作ったものなのだそうだ。

「毎年、ひな祭りの日になると、自分のつくったひな人形を見にくるんよ。いつもは夜なんやけどね」

「そうなんですか？」

「そうなんよ。幽霊って、生きてる人間がいっぱいおったら、出られへんみたい」

お母さんはフフッと笑った。

「今日は人が少なかったから、昼間に見にきたんとちがうかな」

わかれぎわに、

「かよにはゆわんといてね。夜にトイレいかれへんようになるから」

といわれて、ばあちゃんが子ども部屋にもどると、

「もしかして、ひいじいちゃんがいてた?」

ばあちゃんの様子を見て、かよちゃんがいった。

「え?　知ってたん?」

ばあちゃんがびっくりして聞きかえすと、

「知ってるよ。毎年みんなが帰ったあとに、こっそり出てきて、じっとおひなさま見てるもん。あ、でも、わたしが気づいてることは、お母ちゃんにはゆわんといてな。わたしがこわがらんように、気ぃつかってくれてるみたいやから」

かよちゃんはそういって、お母さんと同じ顔で、フフッと笑った。

ばあちゃんの話を聞いて、ぼくは桜の幽霊が、日が暮れてからしかあらわれないわけが、わかったような気がした。

学校はただでさえ元気な子どもが多いので、そのパワーにあっとうされて、みんなが帰るまで出てこられないのだ。

そして、満開の時期にしかあらわれないというのも、ひいおじいさんのひな祭りと同じで、なにか強い思いいれがあるのだろう。

ただ、わからないのは、あのせりふだった。

「……をしろ……ないと……」

というのは、たぶん、

「なにかをしろ。そうしないと……」

という意味だと思うんだけど、いったいなにをしろというのだろうか。

そんなことを、頭の中でぐるぐると考えていると、

「そやけど、急にどないしたんや？　幽霊でも見たんか？」

のんびりした口調で、ばあちゃんが聞いた。

「うん。まあ……ねえ、ばあちゃん。桜が満開のときにだけ出る幽霊って、どんな幽霊だと思う？」

「さあなあ……けど、もしかしたら大事なのは、桜やないのかもしれへんで」

「どういうこと？」

言葉の意味がよくわからなくて、ぼくは聞きかえした。

ばあちゃんは、おいしそうにお茶を飲んでから、

「かよちゃんのひいおじいさんは、虫干しでひなかざりを庭に広げたときには、出てこんかったんやって。そやから、おひなさまよりも、ひな祭りの方にこだわりがあったんとちゃうかな。きっと、特別な日に、自分がつくった人形がかざられてることが、うれしかったんやろうなあ」

そういって、にっこり笑った。

土曜日の午後。

ぼくはタクミとシンちゃんと三人で、ギィに会うために月森川へと向かっていた。

ソラは二日後にせまった送る会の準備のため、学校にいっている。

タクミの塾が終わるのを待っていたので、日は遠くの空にかたむきはじめていた。

少し上流にさかのぼったところで川原におりると、背の高い草のかげから、緑色の手がのびているのが見える。

「おーい」

水かきのついた手をふりながらあらわれたのは、緑の体に黄色いくちばし、ギザギザの髪の真ん中にお皿をのせた、河童のギィだった。

ギィはシンちゃんを見ると、首をかしげて、

「あれ？　つりざおは？」

といった。

「今日は、つりをしにきたんとちがうんや。ギィにちょっと聞きたいことがあるんやけど……」

シンちゃんが、いままでのことをギィに説明すると、

「そういえば四郎丸どのが旅から帰ってきたって、長がゆってたな」

ギィはこしに手をあてていった。

「ギィは、その天狗のことを知ってるの？」

ぼくが聞くと、ギィは首をふった。

「わしも話には聞いとったけど、会ったことはない。なんでも、五十年ぶりに帰っ

てきたそうやからな」

「天狗って、長生きなんだね」

神主さんの話だと、あの四郎丸という天狗は百年以上前からいるみたいだし……。

「まあ、天狗は山のもんの中でも寿命が長い方やから。五十年ってゆうても、人間の感覚でゆうたら、二、三年留守にしてたくらいの感覚とちがうか」

ギィがそういったとき、ヒューッと風を切る音が聞こえて、大きなかげが舞いおりてきた。

うわさをしていた、天狗の四郎丸だ。

「河童と仲よくしゃべってる人間がおると思ったら、やっぱりおまえらか」

天狗はおもしろがるようにいうと、ギィに目をとめた。

「おまえのことも、河童の長から聞いとるぞ。人間の子どもと仲よくしてる、変わったやつがおるとな」

「はあ……」

ギィはきんちょうしているのか、かたい声で答えた。

「それで、おまえらはまだ、学校の桜のことを調べてるんか？」

四郎丸がまたこちらに向きなおった。

ぼくは返事をするかわりに、反対に質問した。

「四郎丸さんは、七節小学校のことは知ってるんですか？」

「おお、知っとるぞ。あの校庭とかいうところで、よう遊んだもんや」

四郎丸はなつかしそうに目を細めた。

小学校ができたときには、すでに百才近かった四郎丸も、天狗の世界ではまだ若く、人間の子どもたちに興味があって、しょっちゅう通っていたのだそうだ。

「みんな、びっくりしたんじゃないですか？」

ぼくの疑問に、

「いちおう、人間に化けてたからな」

四郎丸はそういって笑った。

先生の中には、気づいてた人もいたみたいだけど、なにもいわずに受けいれてくれたらしい。

「それじゃあ、お気にいりの場所をうばわれて、学校をうらんだりは……」

「なんでうらむんや」

四郎丸は不思議そうにぼくを見ていった。

「あの学校には世話になった。そんなわけないやろ」

その目は、うそをついているようには見えなかった。

そのとき、どこか遠くから「おーい……」という声がかすかに聞こえてきた。

「おっと、大天狗どのが呼んどる」

四郎丸は頭をかいた。

「えんかいをぬけだしてきたんや。早くもどらんと、またしかられるな」

帰ってきてからの数日間、ずっとえんかいが続いているらしい。

天狗はやっぱり、時間の感覚がちがうみたいだ。

「おまえらはおもしろいな。また、ゆっくり話をしようぞ」

そういって、四郎丸は飛びたっていった。

「うわさどおりの、変わった天狗やなあ」

ギィが少しあきれたような口調でいったとき、シンちゃんの子ども用のスマホに電話がかかってきた。

画面には〈ソラ〉と表示されている。

シンちゃんが通話にすると、ソラの悲鳴のような声が飛びだしてきた。

「みんな、学校にきて！　桜の木が切られちゃいそうなの！」


校庭は夕焼けで赤くそまりはじめていた。

ぼくたちが学校に到着すると、校庭には軽トラックが止まり、桜の木の前では校長先生が作業着の人たちと話をしていた。

「ね？　なんだか、いまにも切られそうでしょ？」

校門のところでぼくたちを待ちかまえていたソラが、あせった口調でいう。

「こうなったら、校長先生に直接相談しよう」

表情を引きしめて歩きだすシンちゃんのあとを、ぼくたちもついていった。

「それじゃあ、よろしくお願いします」

校長先生が頭をさげて、作業着の人たちが軽トラにもどっていく。

その人たちといれかわるようにして、校長先生の前に立ったシンちゃんは、

「桜を切っちゃうんですか？」

といった。

「なんで知ってるんだい？」

校長先生は、おどろいたように何度もまばたきをすると、

「できれば切らずにすませたかったんだけど、病気の進行が思ったよりもはやくてね……」

満開の一歩手前までさいている桜を見あげながら、さびしそうにいった。

「それって、天狗のせいなんですか？」

ソラが一歩ふみだして聞く。

「よく知ってるね」

校長先生は意外そうに目を見開いた。

「まあ、天狗というか……」

「切るのはもう少し待ってもらえませんか？　お願いします」

まだなにかいいかけていた校長先生の言葉にかぶせるように、ソラがいきおいよく頭をさげて、ぼくたちもそれにならった。

「お願いします！」

本当に天狗のせいなのかどうか、もっと調べてみたいし、仮に病気がなおせないにしても、切りたおす前に幽霊の気持ちをたしかめたかったのだ。

「え、ちょっと、どうしたんだい？」

校長先生は、とつぜんの展開にとまどっていたけど、

「でもねえ……早く切ってしまわないと、テングスビョウが広がったら、ほかの枝も切らないといけなくなるから……」

やがて、むずかしい顔でそういった。

「テング……スビョウ？」

ぼくは顔をあげて聞きかえした。

「なんですか、それ？」

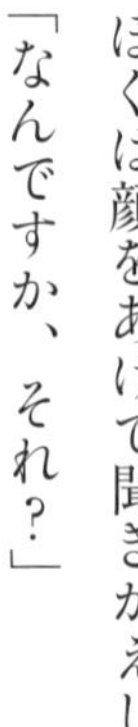

「あれ？　知ってたんじゃなかったのかい？」

校長先生は、木の上の枝が密集している部分を指さした。

「ここからだと、ちょっと見えにくいけど……木の上の方が〈てんぐ巣病〉という病気にかかっているんだ。この病気は、ほおっておくとほかの枝にもうつってしまうから、木のお医者さん――樹木医さんと、その枝だけを切りとって治りょうできないか相談していたんだよ」

校長先生の説明を聞いて、ぼくたちはいっせいにソラを見た。

「えっ……と……」

みんなの視線をうけて、小さくなったソラは、首をひっこめるようにして、消えいりそうな声でいった。

「……ごめんなさい。わたしのかんちがいだったみたい……」

ぼくたちから事情を聞くと、校長先生は笑いながら、

「なるほど。まあ、天狗のせいというのも、あながちまちがいじゃないけどね」

といった。

この病気は、枝が密集した様子が、まるで天狗が休むための巣をつくったように見えることから、〈てんぐ巣病〉と呼ばれているのだそうだ。

「桜の木はなくならないんですね」

ようやく顔をあげたソラが、ホッとしたようにいった。

「もちろん。学校ができるよりも前から、この土地を見守っている木を、切りたおしたりはしないよ」

やっぱり四郎丸は、うそなんかついていなかったのだ。

疑ったりして、悪いことをしたなと思っていると、

「それじゃあ、あの幽霊がうったえてたのも、〈てんぐ巣病〉のことやったんかな」

タクミがぼくたちだけに聞こえるように、声をひそめていった。

「だったら、お医者さんがみてくれてるから、もうだいじょうぶだよって伝えてあげた方がいいんじゃない？」

ソラが返す。

「まだ、なにかなやみ事かい？」

そんなぼくたちの様子を見て、校長先生がたずねた。

「校長先生は、桜の木の下に出る幽霊のうわさを聞いたことはありますか？」

ぼくたちを代表して、シンちゃんが話を切りだした。

「そういえば、そんなうわさがあるみたいだね」

「じつは……」

ぼくたちは、幽霊について調べたことを、校長先生に話した。

その間にも、空はどんどん暗くなってくる。

昼間のにぎやかな学校とはちがう、夜の時間がはじまろうとしていた。

冷たい風が首の後ろをなでたような気がして、ハッと桜を見ると、木の下に白い人かげがぼんやりとうかびあがっていた。

いままでよりもはっきりと見えていて、女の人の表情までわかるくらいだ。

ぼくたちが注目していると、暖かい風に乗って、か細い声が聞こえてきた。


「テング……約束……しろ……」


言葉もいままでよりしっかりと聞きとれる。

「いま、『約束しろ』っていったよな。てんぐ巣病をなおすよう、約束しろってことなのかな」

タクミの言葉に、ぼくは「たぶん」とうなずいた。

ぼくたちの様子を、一歩はなれたところから静かに見守っていた校長先生は、幽霊の前に進みでると、正面から声をかけた。

「てんぐ巣病なら、もうだいじょうぶですよ。専門家にお願いしたので、明日にはちゃんと……」

そこまで話したところで、とつぜん口を閉ざすと、まじまじと幽霊を見つめて、少しかすれた声でいった。

「もしかして……中西先生ですか？」

ぼくたちが「え？」と思っていると、幽霊はふわりとゆれて、空気にとけるように消えてしまった。


「中西先生は、ぼくが七節小の児童として通っていたときの、担任の先生なんだ」

校長室に場所を移して、ぼくたちをソファーにすわらせると、校長先生はなつかしそうに目を細めて話しはじめた。

「校長先生も、卒業生だったんですか？」

ぼくの言葉に、先生はうなずいて、後ろのロッカーから、ずいぶんと古そうな卒業アルバムを取りだした。

いまより、五十年近くも昔の年度だ。

先生は、卒業生がひとりずつ写っているクラス写真のページを開くと、丸顔でニコニコしている男の子の顔に指を置いた。

担任　中西 幸子

木村 みゆき

菅野 宗太

工藤 一

戸部 直子

和田 晴彦

吉岡

「これが、ぼくです」

写真の下には〈和田晴彦〉とある。

ぼくたちは、いまの校長先生と写真の顔を見比べた。

丸い顔の形とやさしそうな目元に、おもかげが残っている。

「そして、この人が中西先生」

先生がつぎに指さしたのは、白いジャケットを着た女の人だった。

髪が長くて、おだやかにほほえんでいるその顔は、ぼくたちが見たあの幽霊と同じものだ。

「だけど、五十年前の先生の顔を、よく覚えてましたね」

ぼくがいうと、

「意外とわすれないものですよ」

校長先生はおどけたようにかたをすくめて、遠くを見つめた。

「とくに中西先生は、どんな相手にもわけへだてなく接する、学校でも人気の先生でしたから。子どもたちの気持ちを、いつも一番に考えてくれて、『小学校に通える時代は、一生に一度しかないのだから、こうかいのないように過ごしてほしい』が、口ぐせだったんです」

（だけど、このアルバムの写真と同じ見た目であらわれるということは、中西先生は病気かなにかで若くして亡くなったんだろうな……）

　校長先生の話を聞きながら、ぼくはそんな風に思っていたので、

「その後、ほかの学校に移って、たしか五年ほど前に亡くなられたと聞いていましたけど……」

という言葉におどろいて、思わず「え？」と声をあげた。

「幽霊って、亡くなったときのすがたで出てくるんじゃないの？」

　そういえば、だがし屋にいく前に、幽霊の年れいを逆算しようとぼくが提案したとき、ソラがなにかをいいかけていた。

　あれはたぶん、「幽霊の外見が、亡くなったときと同じとはかぎらない」といおうとしていたんだろう。

「せっかくやから、この学校にいたときのすがたで出たかったんとちがうか？」

タクミがソファーの背もたれに体をあずけながらいった。

校長先生によると、中西先生は当時三十代で、小学校を何校か勤めあげたあと、定年退職して、五年前に八十才で亡くなったそうだ。

桜の木の下に幽霊が出るようになったのも、同じく五年前。

きっと、桜の病気に気づいた中西先生が、なんとかみんなに伝えようと、幽霊になってあらわれたのだろう。

「中西先生のためにも、てんぐ巣病は責任をもってなおします」

校長先生はぼくたちの顔を見て、力強くいいきった。

「つぎは、五年生による林間学校です」

ソラの声がマイクを通して体育館にひびく。

ぼくは舞台のそでで、どきどきしながら自分の出番を待っていた。

今日は六年生を送る会の本番だ。

会は終ばんで、いまは〈七節小ストーリー〉を上演している。

これは、六年生の入学から卒業までをふりかえって、各学年が短いお芝居をつなげていく出しもので、一年生は入学式、二年生が授業参観、三年生が遠足、四年生が運動会、そしてぼくたち五年生が林間学校を再現するのだ。

いまから舞台上で、段ボールでつくったキャンプファイヤーをみんなで囲んで歌うんだけど、ぼくは聖火ランナーのように火を運んで着火する役だった。

「さあ、キャンプファイヤーのはじまりです！」

ソラのせりふを合図に、そでから飛びだす。

たいまつで火をつけるまねをすると、段ボールの中にかくれていた炎役のタクミたちがいっせいに立ちあがって、まるで炎があばれるみたいに、めちゃくちゃにおどりだした。

客席から笑いとかんせいが起こる中、ぼくたちはかたを組んで歌いはじめた。

折り紙の花でかざられたゲートをくぐって、はくしゅに送られながら六年生が体育館をあとにすると、送る会は無事に終了した。

夕暮れの校庭は開放されていて、明後日の卒業式にこられない家族や親せきが、六年生といっしょに記念撮影をしている。

ほぼ満開になった桜の前でも、何人かが順番にポーズをとっていた。

中西先生の幽霊が出てこないのは、人がたくさんいるせいというより、桜の治りょうが終わったのを見とどけて、成仏したからだろう。

日曜日の昨日、専門業者の人が枝を切って、桜の手あては完了していた。

あとは、定期的に薬をぬって、経過を観察するらしい。

じつは〈てんぐ巣病〉に最初に気づいて校長先生に伝えたのは増田先生で、二階の窓から枝の異変を見ぬいたのだそうだ。

だったら、はじめから増田先生に相談しておけばよかったな、と思っていると、

「ねえ、知ってる？　桜の幽霊のうわさ」


そんな言葉が耳に飛びこんできた。

話しているのは、六年生の女子二人組だ。

いままで流れていたうわさのことかな、と思って聞きながしていると、

「知ってる。夕べの話でしょ？」

話しかけられた方が、興奮した様子でうなずいたので、ぼくはハッとして聞き耳を立てた。

どうやら、昨夜、塾の帰りに学校の前を通りかかった六年生のだれかが、桜の木の下で悲しそうにたたずむ幽霊をもくげきしたらしい。

治りょうは終わったはずなのに、どうして……。

二人組がいなくなったあとも、混乱してその場に立ちどまっていると、

「どうしたの、リク。こわい顔しちゃって」

後片づけを終えて、体育館から出てきたソラが、ぼくのかたをたたいた。

「ああ、ソラ。実行委員、おつかれさま。じつは……」

ぼくがいま聞いたばかりのやりとりを伝えると、

「見まちがいじゃないの？」

ソラは首をかしげてそういった。

「ぼくもそう思ったんだけど……」

ぼくは首をひねった。この間から、なにかが頭のすみにひっかかっていたのだ。

「校長先生は？」

ぼくはソラに聞いた。

「まだ体育館にいると思うよ」

ソラといっしょにもどると、体育館のすみで実行委員に囲まれていた校長先生は、ぼくたちに気づいてこちらにやってきた。

「リクくん、どうしたんだい？」

「あの桜の木ですけど、病気になったのは最近ですよね」

「ああ、そうだね。〈てんぐ巣病〉は広まりやすいから、たぶんそんなに時間はたっていないと思うけど……」

ぼくと校長先生のやりとりを横で聞いていたソラが「あっ」と声をあげた。

「リク、それって……」

「そうなんだ」

ぼくはソラにうなずきかけると、頭の中で考えをまとめながら話しはじめた。

「被害があの程度ですんだことを考えると、桜が五年前から〈てんぐ巣病〉にかかっていたとは考えられません。つまり、五年前に亡くなった中西先生が、その直後から幽霊になって学校にあらわれたのは、桜の木の病気とは関係なく、もっとべつのなにかをうったえたかったからじゃないでしょうか」

「なるほど」

校長先生が感心したようにいう。

「でも、それじゃあ中西先生は、毎年桜が満開になる季節に、なにを伝えたるために出てこられたんだろう」

校長先生の言葉を聞いているうちに、ぼくはばあちゃんの話を思いだした。

幽霊は、思いいれのある時期にあらわれることが多い。中西先生がこだわっていたのは、桜ではなく……。

「卒業式かも」

ぼくはいった。

「中西先生は、卒業式になにか心残りがあったんじゃないかな」

「でも、てんぐ巣病が関係ないなら、先生はどうして『天狗』っていってたの？」

そういえば、そうだった。

ぼくは、桜の木の下で先生から聞いた言葉を思いかえした。


「テング……約束……しろ……」


「あっ！」

ぼくはあることに気がついて、校長先生につめよった。

「中西先生は、五十年前にこの学校にいたんですよね」

「うん。たぶん、十年近く勤務してたんじゃないかな」

五十年前、だれにでもわけへだてなく接する人気の先生——そして、決定的なのは、あのせりふだ。

「『約束しろ』の『しろ』じゃない！」

ぼくは思わず大声をあげた。
「『四郎丸（しろうまる）』だ！」

夜の学校に到着すると、門の前で校長先生が出むかえてくれた。

「こんばんは、リクくん」

「こんばんは、校長先生」

学校で夜のあいさつをするなんて、めったにないからしんせんだ。

校庭は、明るい月に照らされていた。

「おそいぞ、リク」

タクミが手をふっている。となりにはシンちゃんとソラもいた。

卒業式の夜。

ぼくたちは桜の木のそばに集まっていた。

「そろったみたいですね」

校長先生の言葉に、

「まだひとり……」

ソラがいいかけたとき、ビューッと強い風がふいて、砂ぼこりが舞いあがった。

ようやくおさまったときには、いつの間にあらわれたのか、校庭におりたった四郎丸が羽をたたみながら、めずらしそうにあたりを見まわしていた。

「おー、これがいまの学び舎か。遊び場も建物も、えらい変わったなあ」

「あなたが四郎さんですか？」

校長先生が、少しきんちょうした様子で声をかけると、

「四郎やない。四郎丸や」

天狗はカッカッカと笑った。

そして、校長先生の顔をまじまじと見つめたかと思うと、ニカッと笑って、

「おまえ、ハル坊やろ」

といった。

「え」

校長先生が目を丸くする。たしかに校長先生の下の名前は晴彦だ。

ぼくたちが絶句していると、

「えらくなったもんやなあ。鬼ごっこでいっつもすぐにつかまって、泣きべそかいてたハル坊が先生になったんかあ」

四郎丸はうれしそうにいった。

「ちょ、ちょっと待ってください」

校長先生のあわてぶりからすると、四郎丸のいっていることは、本当なのだろう。

「どうしてそんなことを知ってるんですか?」

「わからんか? まあ、人間に化けたときは、もっと鼻が低かったからなあ」

四郎丸はそういって、また声をたてて笑った。

「もしかして……シロウ兄ちゃん?」

校長先生の言葉に、四郎丸がうなずく。

「ひさしぶりやな。元気でやっとったか?」

そんなやりとりをしていると、桜の木の下に、ゆらゆらと白いかげがあらわれた。

かげはじょじょに形を整えていき、白いスーツを着た女の人になって、にこりと笑った。

「中西先生」

校長先生が気を取りなおして呼びかける。

「和田くん、ひさしぶり。りっぱになったわね」

中西先生の幽霊は、はっきりとした声で校長先生にこたえると、四郎丸の方を向いた。

「おかえりなさい、四郎丸くん」

「待たせて悪かったな」

四郎丸は、申し訳なさそうに頭をかいた。

「人間と天狗の時間の感覚がちがうのを、わすれておったわ」

五十年前、中西先生は四郎丸が天狗だとわかった上で、子どもたちと校庭で遊ぶのを見守ったり、こっそり授業に参加させたりして、ほかの児童と同じように受けいれていた。

ある年の冬、四郎丸が旅に出ると先生に告げると、

「それじゃあ、帰ったときには、四郎丸くんのために卒業証書を用意しておくわね」

中西先生はそういって送りだした。

しかし、数年後、四郎丸がもどってこないまま、ほかの学校へと転勤していった。

中西先生はそれがずっと心残りで、五年前に亡くなると幽霊になり、卒業の季節には当時のすがたで校庭にあらわれるようになった。

とぎれとぎれに聞こえていたあのせりふは、

「天狗との約束……四郎丸くんに、卒業証書をわたさないと……」

だったのだ。

「さあ、これを」

校長先生は、このために特別に用意した卒業証書を中西先生に持ってもらおうとしたけど、幽霊なので手にすることができない。

けっきょく、校長先生がとなりに立って証書を広げ、中西先生がその文面を読みあげた。

「卒業証書。四郎丸くん。あなたは、七節小学校において、人間の子どもとともに、よく学び、よく遊んだことを、ここに証します」

中西先生の動きに合わせて、校長先生が卒業証書を四郎丸に手わたす。

ぼくたちははくしゅでそれをお祝いした。

四郎丸は、受けとった証書の文字を何度も読みかえしてから、

「卒業って、ええもんやな」

照れくさそうな笑顔でそういった。

校長先生が三脚とカメラを用意してくれたので、みんなで桜の木の下にならんで、

記念写真を撮った。

画像を確認すると、中西先生も四郎丸も、しっかりと写っている。

天狗と幽霊がいる写真って、すごくめずらしいんじゃないかな、と思っていると、

「ああ、よかった。この五十年、ずっと気になってたの」

中西先生が満足そうにほほえんで、ぼくたちに手をふった。

「みんな、これからも元気でね」

夜風にふかれて舞いちる桜の花びらにとけこむように、先生は、スーッと音もなく消えていった。

心残りがなくなって、成仏したんだな、としんみりしていると、

「あーーーっ！」

タクミがとつぜんさけんだ。

「どうしたの？」

ぼくがおどろいて声をかけると、タクミは頭をかかえていった。

「いや……桜の木の下に出る幽霊を、七不思議のひとつにしようと思ってたのに、成仏したら、もう出てけえへんやん」

「だったら、こっちを七不思議にしたらいいんじゃない？」

ぼくは証書を読みかえしてニヤニヤしている四郎丸を見ながらいった。

「天狗の卒業生がいる学校なんて、七節小だけだと思うよ」

作　**緑川聖司**（みどりかわせいじ）

2003年に日本児童文学者協会長編児童文学新人賞佳作を受賞した『晴れた日は図書館へいこう』（小峰書店）でデビュー。作品に「本の怪談」シリーズ、「怪談収集家」シリーズ、「福まねき寺」シリーズ（以上ポプラ社）、「絶対に見ぬけない!!」シリーズ（集英社みらい文庫）、「炎炎ノ消防隊」シリーズ（ノベライズ・講談社青い鳥文庫）などがある。また「笑い猫の5分間怪談」シリーズ（KADOKAWA）など、アンソロジー作品にも多く参加している。大学の卒業論文のテーマに「学校の怪談」を選んだほどの筋金入りの怪談好き。大阪府在住。

絵　**TAKA**（たか）

イラストレーター。児童・中高生向け読み物の装画・挿絵を数多く手がけている。絵を担当する作品に「ゼツメッシュ!」シリーズ（講談社青い鳥文庫）、『疾風ロンド』（実業之日本社ジュニア文庫）、「基礎英語3」2018年度版（NHK出版）など。大阪府在住。
https://www.taka-illust.com

七不思議神社　幽霊の待つ学校

作　緑川聖司
絵　TAKA

2022年2月　初　版
2024年5月　第4刷

発行者　岡本光晴
発行所　株式会社あかね書房
〒101-0065 東京都千代田区西神田3-2-1
電話　03-3263-0641（営業）
03-3263-0644（編集）
印刷所　錦明印刷株式会社
製本所　株式会社ブックアート
ブックデザイン　坂川朱音（朱猫堂）

落丁本・乱丁本はおとりかえいたします。
定価はカバーに表示してあります。

ISBN978-4-251-03738-1 NDC913 159p 20cm×14cm
https://www.akaneshobo.co.jp